金色童书 Golden Books **Richard Scarry** 理查德·斯凯瑞［美］

上学一二三

贵州出版集团公司　贵州人民出版社

这本书的主人是：

准备好去上学

毯子
blanket

早上，猫妈妈来叫小屁孩儿起床。

"该起床上学了。"猫妈妈说。

"为什么我一定要上学呢？"小屁孩儿问。

"所有的小孩都要去学校学习读书和写字，"猫妈妈回答，"你也想学会这些，对吗？那就快点起床吧。"

小屁孩儿起床了。他揉揉还没睡醒的眼睛，一边打着哈欠一边向洗手间走去。

镜子
mirror

洗手池 sink

毛巾 towel

肥皂 soap

他用热水和肥皂洗了脸。

睡衣 pajamas

牙膏 toothpaste

他刷了牙。

梳子 comb

他用蘸了冷水的梳子梳头。

帽子
cap

吊裤带
suspenders

内裤
underpants

衬衫
shirt

外套
suit jacket

大衣 overcoat

运动服
play jacket

工装裤
overalls

雨帽
rain ha

雨衣 raincoat

运动鞋
sneakers

鞋子
shoes

手套
gloves

连指手套
mittens

雨鞋
rubber boots

短袜
socks

小屁孩儿开始穿衣服。

短裤不是你那样穿的，小屁孩儿！

妈妈为小屁孩儿做了热腾腾的麦片粥当早餐。

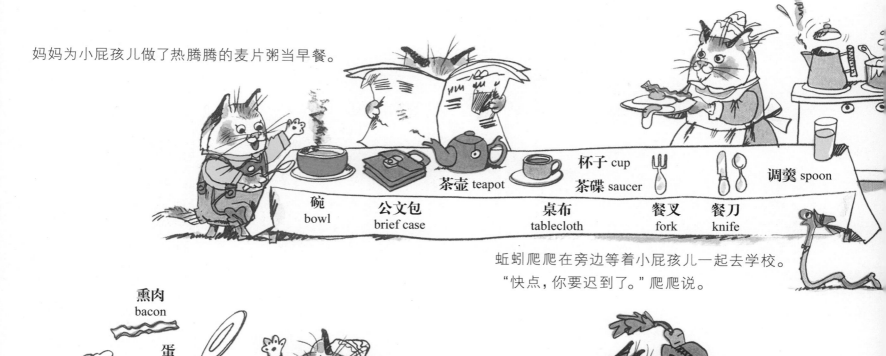

碗 bowl

公文包 brief case

茶壶 teapot

杯子 cup
茶碟 saucer

桌布 tablecloth

餐叉 fork

餐刀 knife

调羹 spoon

蚯蚓爬爬在旁边等着小屁孩儿一起去学校。
"快点,你要迟到了。"爬爬说。

熏肉 bacon

蛋 eggs

玻璃杯 glass

"天啊,来不及了!我上班要迟到了。"爸爸说。
他抓起公文包就跑。
噢!他把桌布也拽走了!

妈妈和小屁孩儿一起向
校车的车站走去。
嘀嘀——!校车来接孩子
们去上学了。

校车站

黑色火车头 black train locomotive

红色和绿色的车厢 red and green coach

每天，小屁孩儿都会坐着那辆桔黄色的校车去上学。
在路上，他看见很多五颜六色的东西。
你知道渔夫的外套是什么颜色吗？

紫色吉普车
purple jeep

校车

下水道入口
manhole

街道
street

虫虫推士机
bugdozer

大猩猩和他的黄色香蕉车
bananas gorilla and his yellow banana-mobile

红色摩托车
red motorcycle

桔黄色飞机
orange airplane

带红十字的白色救护车
white ambulance with red crosses

火车道穿越口
railroad crossing gate

火车道守卫
crossing guard

交通灯
traffic light

向右转

蓝色指示牌
blue sign

红色消防车
red fire engine

黄色斑马线
yellow crosswalk

人行道
side walk

TAXI

绿色出租车
green taxi

渔夫
fisherman

拖船
tugboat

河
river

棕色运输货车
brown delivery van

桥
bridge

7

气象标
weather va[ne]

邮递员
postman

铃
bell

学校

这就是小屁孩儿的学校。
校车在校园里停了下来。
这时，上课的铃声响了。
该去上课了。
可是，为什么外面那么吵呢？

钟楼
clock tower

中心小学

校长办公室 principal's office

操场
schoolyard

8

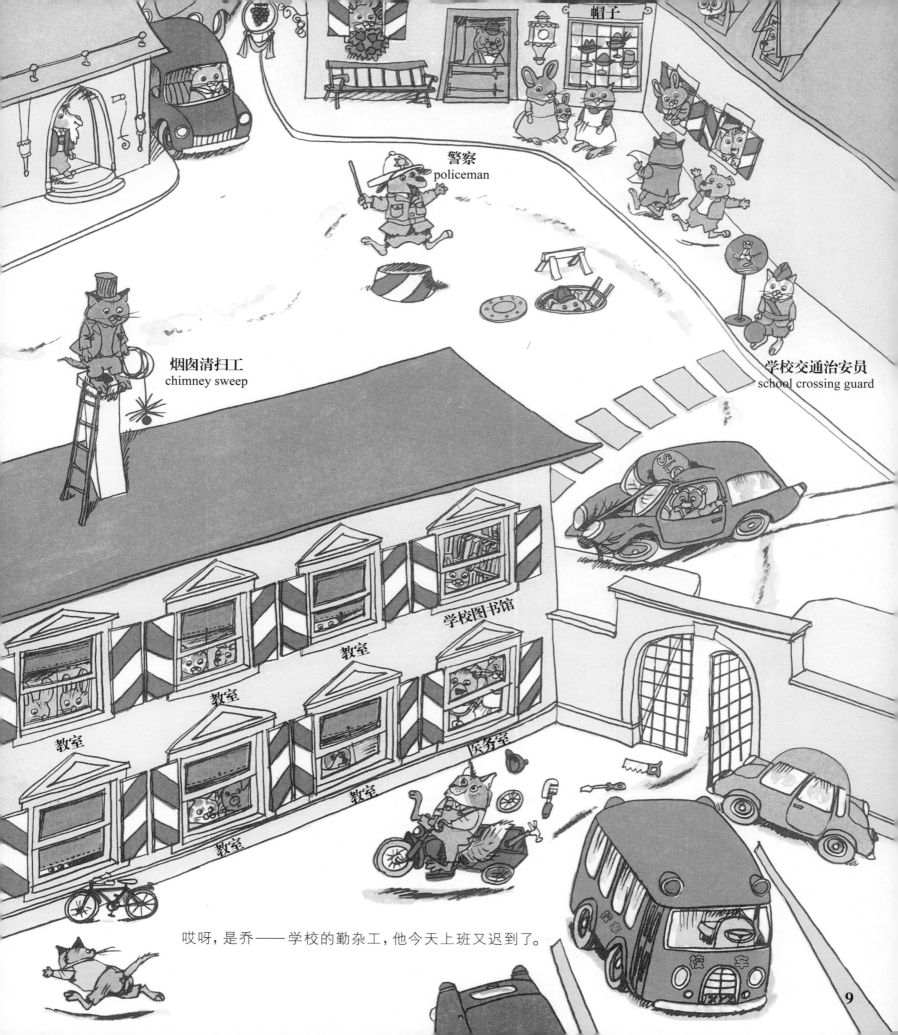

警察
policeman

帽子

学校交通治安员
school crossing guard

烟囱清扫工
chimney sweep

学校图书馆

教室

教室

教室

教室

教室

教室

医务室

哎呀，是乔——学校的勤杂工，他今天上班又迟到了。

9

气球
balloon

字母表
alphabet

Aa Aa | Bb Bb | Cc Cc | Dd Dd

绳子
string

钟
clock

铃
bell

墙
wall

告示板
notice board

日历
calendar

九 月

星期日	星期一	星期二	星期三	星期四	星期五	星期六
		1	2	3	4	5
6	7	8	9	10	11	12
13	14	15	16	17	18	19
20	21	22	23	24	25	26
27	28	29	30			

老师
teacher

地图 map

雨伞
umbrella

套鞋
overshoes

小学生
pupils

教 室

这是小屁孩儿的教室。

哈尼小姐正坐在讲台后面等着大家来上课。

每天早上，同学们都会说："早上好，哈尼小姐。"

哈尼小姐就会回答："早上好，孩子们。今天你们看上去，真是又精神又漂亮！"。

天花板 ceiling

EeEe FfFf GgGg HhHh Ii

吊灯
overhead light

纸飞机
paper airplane

蜘蛛
spider

窗帘
window shade

黑板
blackboard

玻璃窗
window pane

拼写课
spelling lesson

算术课
arithmetic lesson

猫 cat
狗 dog
小虫 worm

$$\begin{array}{r} 2 \\ + 2 \\ \hline 4 \end{array}$$

迟到的学生
a pupil who is
late for school

垃圾桶
wastebasket

凳子
stool

窗台 window sill

椅子
chair

桌子
table

蚯蚓爬爬的椅子
Lowly Worm's chair

卷笔刀
pencil sharpener

浆糊罐
paste pot

回形针
paper clips

黑板擦
blackboard eraser

橡皮 eraser

尺子 ruler

剪刀 scissors

aaAa
BbBb

粉笔 chalk

理查德·斯凯瑞
忙忙碌碌镇

故事书
storybook

铅笔盒 pencil box

练习册 workbook

铅笔 pencil

记号笔 marker pen

图钉 thumb tacks

圆珠笔 ball-point pen

工字钉 push pins

11

学习字母表

Aa Bb Cc Dd Ee Ff Gg Hh Ii Jj Kk Ll
Mm Nn Oo Pp Qq Rr Ss Tt Uu Vv Ww Xx Yy Zz

每天，哈尼小姐都会教同学们一些新的东西。

今天，她打算让孩子们学习字母表。她分给每个孩子一张卡片，上面写着一个字母。每个人都要想出以这个字母开头的单词。

真好吃啊！

a是字母表中的第一个字母。小猪亚瑟给老师带了个苹果。他也为我们的朋友——爬爬带了一个。

苹果
apple

扫帚
broom

碗
bowl

书
book

长凳
bench

香蕉
banana

"大猩猩布纳那！快把香蕉车开到外面去！"哈尼小姐说，"还有，请你在家里吃早餐，而不是学校！"

12

蜡笔 crayon

小车 car

卡片 card

食蚁兽查尔斯用蜡笔画了一辆车，他把这幅画拿给同学们看。

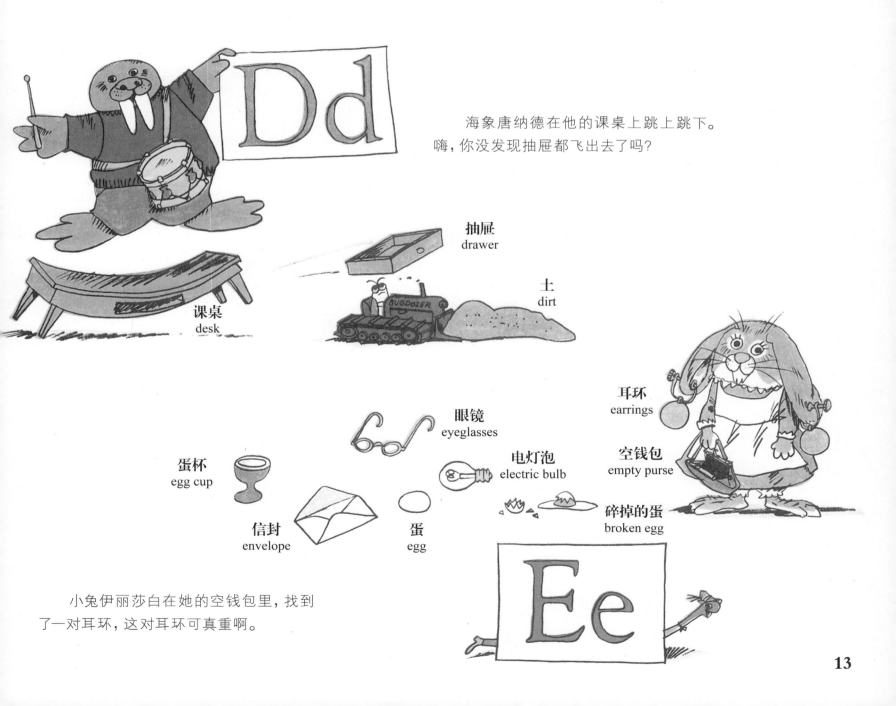

海象唐纳德在他的课桌上跳上跳下。
嗨，你没发现抽屉都飞出去了吗?

课桌 desk

抽屉 drawer

土 dirt

眼镜 eyeglasses

耳环 earrings

电灯泡 electric bulb

空钱包 empty purse

蛋杯 egg cup

信封 envelope

蛋 egg

碎掉的蛋 broken egg

小兔伊丽莎白在她的空钱包里，找到
了一对耳环，这对耳环可真重啊。

喷泉
fountain

水龙头
faucet

Ff

浣熊弗朗西丝给大家看了她的玩具。爬爬打开了浴盆的水龙头，假装成喷泉。

家具 furniture

狐狸格洛丽亚把玻璃珠串在一根绿色的绳子上。她忘记了绳子有两个头。虫虫推土机把掉下来的珠子都收集在了一起。

Gg

绿绳子
green string

玻璃珠
glass beads

嘟嘟！

帽子
hat

脑
hea

小屁孩儿使劲吹着他的喇叭。爬爬正藏在里面呢，现在它知道飞上天是怎么一回事儿了！

喇叭
horn

Hh

小心你的鼻子！

Ii

伊莎贝拉和欧文正在吃冰激凌。欧文，蛋卷冰激凌不是这样拿的！

橙汁
orange juice

果酱
jam

Jj

鳄鱼吉米把橙汁涂在他的面包上，
把果酱倒在玻璃杯里。
等等！这样做对吗？

Kk

方巾
kerchief

要怎么才能倒出来？

番茄酱
ketchup

面包刀
bread knife

锋利的厨刀
sharp kitchen knives

茶壶
tea kettle

凯西围了一条方巾。爬爬正在摇晃装番茄酱的瓶子。凯西向
我们展示了厨房里的厨具。千万不要碰那些锋利的刀哦！

待洗的衣服
laundry

Ll

好了，爬爬！你能说出多少个以字母L开头的东西？
非常好，爬爬！现在请回到你的座位上去。

柠檬
lemon

圆木
log

一条面包
loaf of bread

提灯
lantern

梯子
ladder

叶子
leaf

灯
lamp

午餐盒
lunch box

信件
letter

生菜
lettuce

Mm

河马米尔德会变魔术，她可以让东西消失。她把一个甜瓜放进嘴里，然后用力嚼了嚼。甜瓜不见了！噢，真神奇啊！

甜瓜
melon

花生
nut

鼻子或者象鼻
nose (or trunk)

Nn

餐巾
napkin

接下来该小象尼德上场了。他在鼻子上放了一颗花生。尼德围了一条餐巾，他可不想弄脏他的新外套。

我是一颗花生，头顶一张卡片。

新外套
new suit

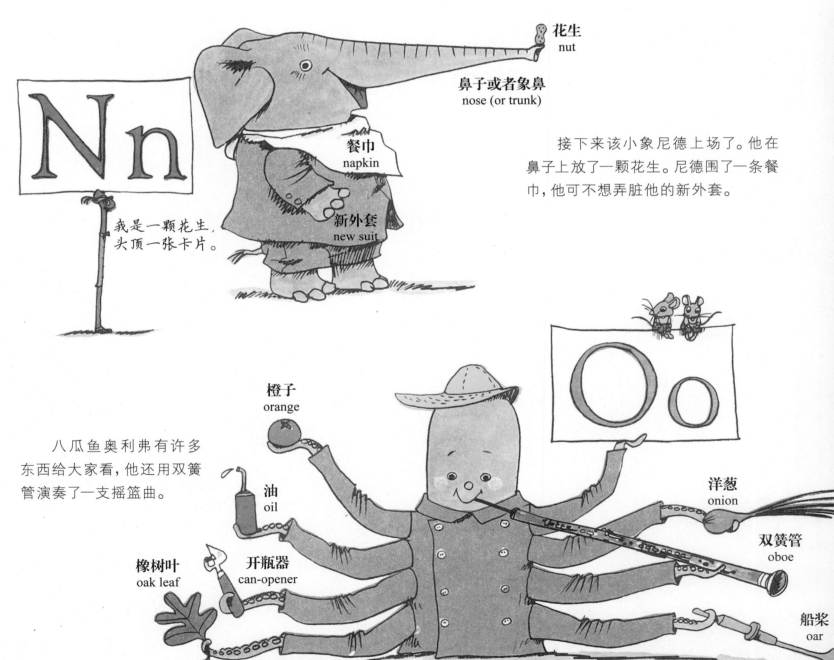

橙子
orange

Oo

八瓜鱼奥利弗有许多东西给大家看，他还用双簧管演奏了一支摇篮曲。

油
oil

洋葱
onion

双簧管
oboe

橡树叶
oak leaf

开瓶器
can-opener

船桨
oar

16

小狗彼得在口袋里放了一株向日葵。

补丁
patch

别针
pin

红色的裤子
pink pants

口袋
pocket

花盆
pot

植物
plant

花瓣
petals

P p

安静点，孩子们。猫头鹰奥斯瓦德有个问题要问你们：
"一整块馅饼能被分成几个四分之一？"
你们都答对了！一个完整的馅饼可以分成四个四分之一。

Q q

整块馅饼
whole pie

1 2

3

四分之一个
quarter piece

4

小兔露丝在头上扎了一根丝带，左手还
拿了一枝玫瑰。小屁孩儿的右脚踩着丝带。
虫虫推土机正在卷地毯。

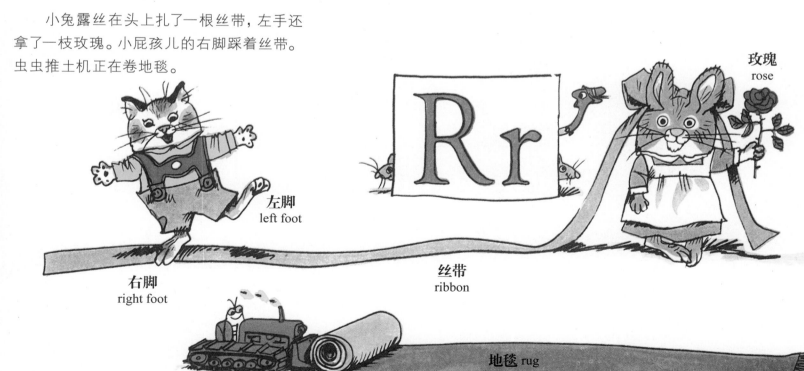

玫瑰
rose

左脚
left foot

R r

右脚
right foot

丝带
ribbon

地毯 rug

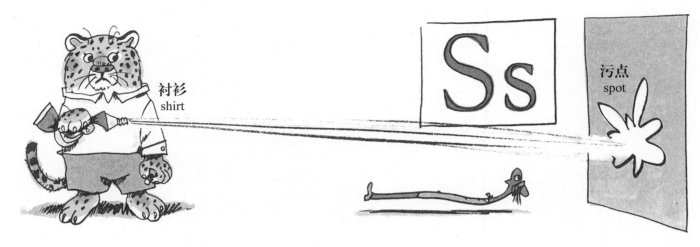

污点
spot

衬衫
shirt

S s

浑身斑点的小豹子拿出一管浆糊，把它喷到墙上，粘粘的浆糊把墙都弄脏了。哈尼小姐让他把墙清洗干净。

T t

老虎汤姆教大家怎么打结。
他拿出两条细绳子，把它们系在一起。

尾巴
tail

裤子
trousers

线团
ball of twine

U u

下雨了，小猪厄休拉撑开了雨伞，她喜欢下雨天。

大熊维克特给同学们看了一些非常漂亮的紫罗兰，还有一棵长在瓶子里的葡萄藤。
一不小心，他被葡萄藤绊倒了。

V v

藤
vine

表
watch

我是什么？
我是爬爬运输车！
看我的轮子！

轮子
wheel

以 W 开头的单词是什么呢？
小狐狸威利一个都想不出来。
你能帮帮他吗？

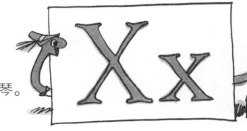

木琴
xylophone

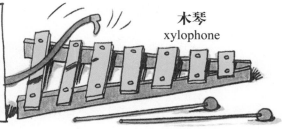

爬爬给大家表演怎么用一只脚演奏木琴。

伊娃把一个鸡蛋摔到地板上，所有人都
看到了黄色的蛋黄。

爬爬在地上歪歪
扭扭地走着。

"真棒！"哈尼小姐说，"现在，我们一起来背诵字母表，开始！"

"ABCD... EFG... HIJK... LMN... O. P.
QRS... TUV... W... X..Y..Z."

啊哈，我已经背完了，你觉得我背得怎么样？

做手工

哈尼小姐要教大家用一些简单的材料和工具，做各种各样好玩的东西。

刺绣
embroidery

针
needle

纱线
yarn

编织
weaving

凯西在用针和纱线绣东西。

彭妮喜欢编织。她要编一块桌垫。

浆糊
paste

杂志
magazine

剪贴簿
scrapbook

蜡笔
crayon

涂色书 coloring book

小屁孩儿在旧杂志上剪下图片，他要做一本剪贴簿。

查理用蜡笔在涂颜色。

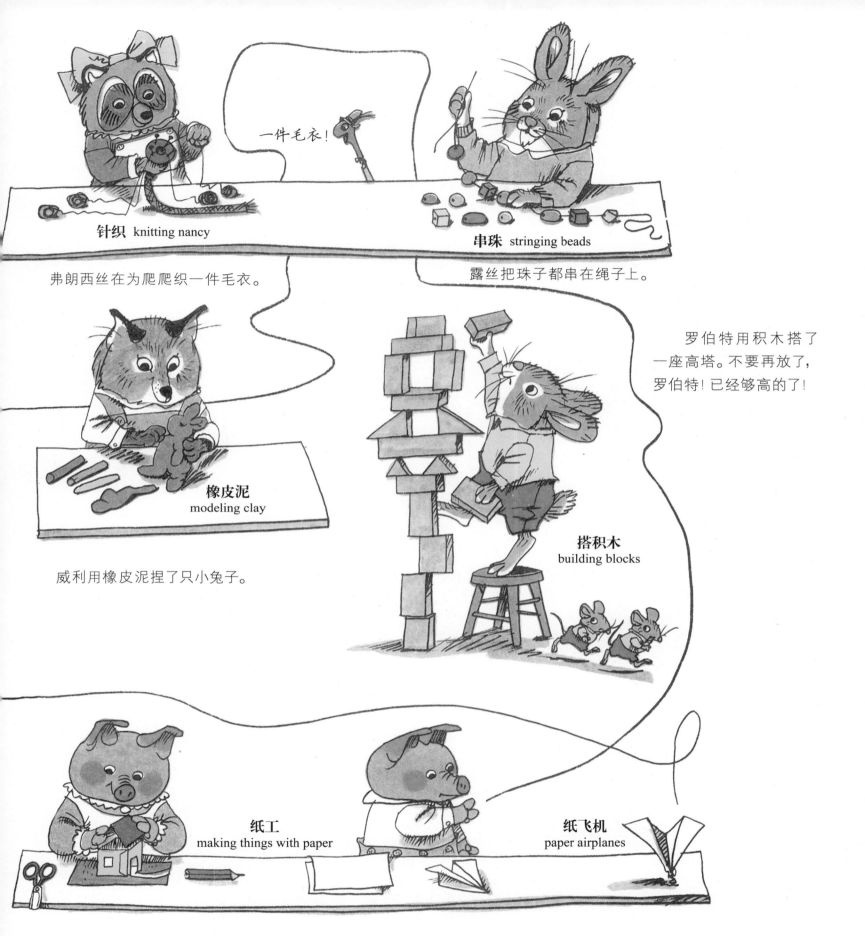

针织 knitting nancy

一件毛衣!

串珠 stringing beads

弗朗西丝在为爬爬织一件毛衣。

露丝把珠子都串在绳子上。

橡皮泥 modeling clay

罗伯特用积木搭了一座高塔。不要再放了,罗伯特!已经够高的了!

搭积木 building blocks

威利用橡皮泥捏了只小兔子。

纸工 making things with paper

纸飞机 paper airplanes

玛丽把剪下来的纸片折叠起来,做了一个玩具房子。

亚瑟在折纸飞机。
亚瑟!你应该知道不能在教室里乱扔东西!

在操场上玩耍

孩子们每天都有玩儿的时间。天气好的时候，他们会在校园的操场上玩耍。

吊环
rings

秋千
swing

滑杆
sliding pole

膝盖受伤了
hurt knee

爬梯 climbing ladder

铁铲 shovel

提桶
pail

圆筒
barrel

捉迷藏
hide and seek

绕圈圈
ring-a-round-a-rosie

沙箱 sandbox

踢球
kicking a ball

弹球
marbles

抓子游戏
jacks

跷跷板
seesaw

滑滑梯
slide

套环
ring toss

追 tag

跳马
leap frog

接球
catching a ball

跳绳
jump rope

拍手游戏
pat·a·cake

跳房子
hop scotch

踩高跷
stilts

23

一周的每一天

在学校里，哈尼小姐教会我们很多东西。
不上课的时候，她忙着做其他的事情。

星期天下午，哈尼小姐和她的朋友布鲁诺先生，
开车去郊外野餐。那可是件好玩的事儿，你说呢？

星期一下课后，哈尼小姐回家洗衣服。

星期二早上去学校之前，
她亲手为生病住院的学生做
一个蛋糕，然后请猫妈妈帮
忙送到医院去。

星期三，哈尼小姐把不用的衣服包起来，拿去送给那些衣服不够穿的学生。

星期四，她和校长还有其他老师坐在一起计划学校郊游的事情。

星期五哈尼小姐到图书馆去看书。她总是学习新的东西再教给孩子们。

星期六，哈尼小姐去市场买东西。晚上她邀请布鲁诺先生一起吃晚餐。每次布鲁诺先生都带着鲜花过来。晚饭过后他们一起去看电影。

哈尼小姐真是位忙碌的女士啊！

学习数数

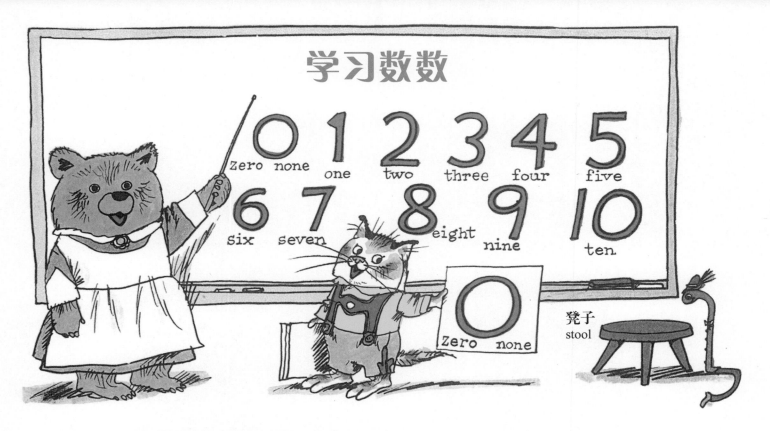

凳子
stool

"今天，我们学习怎么数数。"哈尼小姐说。
"小屁孩儿会拿着写上正确答案的卡片。有几个同学坐在凳子上？"她问大家。
答案是"没有"。没有人坐在那儿。我们用数字0来表示没有。

花
flower

花瓶
vase

哈尼小姐的讲台上有个花瓶，里面有几枝花？
小屁孩儿答对了。只有一枝花。

正在说话的小姑娘停下来，
会变成几个安静的小姑娘呢？
在她们不说话的时候，会有
两个安静的小姑娘。

罗格为老师、小屁孩儿和爬爬每人画了一幅画。
如果你能回答出他一共画了三幅画，那就答对了！

亚瑟的口袋里，有一些大弹珠。
突然，口袋裂开了，弹珠落了一地。
一个、两个、三个、四个，一共有
四个弹珠在地上蹦蹦跳跳。

哈尼小姐让威利把教室里的垃圾都拿出去倒掉。但是，威利，不要一下子都拿走！
你想一下子倒掉五个垃圾桶里的垃圾吗？一，二，三，四，五。

天啊！威利弄得到处都是垃圾！同学们一共用了多少把扫帚来扫垃圾呢？六是正确的答案。

这些同学举手干什么呢？他们想让哈尼小姐同意他们去卫生间。小学生得学会先向老师报告。"好的，你们去吧。但是快点回来。"老师说。然后七个同学离开教室去卫生间了。

哈尼小姐让奥利弗擦黑板。他一下子用了多少个黑板擦？他一口气用了八个黑板擦。

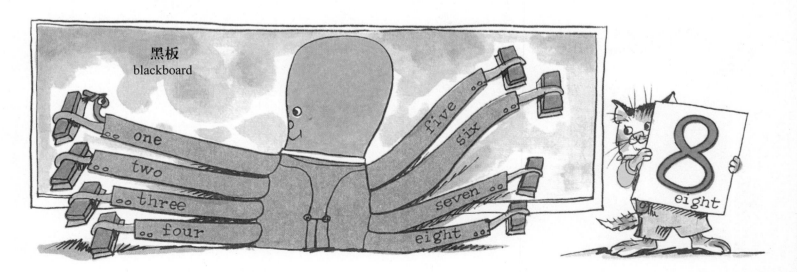

黑板
blackboard

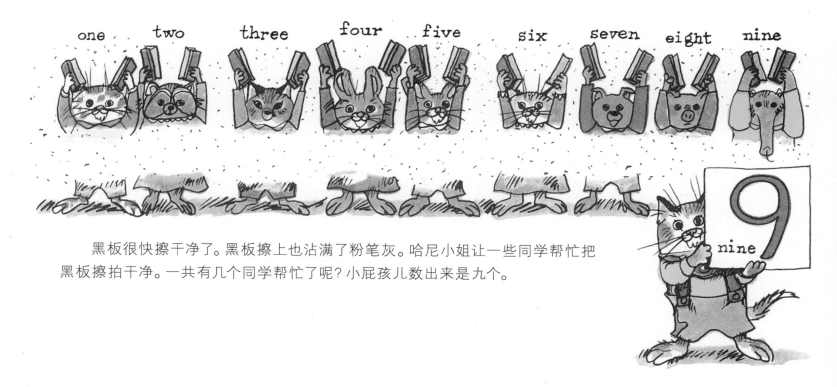

one two three four five six seven eight nine

9 nine

黑板很快擦干净了。黑板擦上也沾满了粉笔灰。哈尼小姐让一些同学帮忙把黑板擦拍干净。一共有几个同学帮忙了呢？小屁孩儿数出来是九个。

哈尼小姐告诉布纳那，只有在吃点心的时间，才能吃他带到学校来的香蕉。他带来十个香蕉吗？不，他带来了十串香蕉！

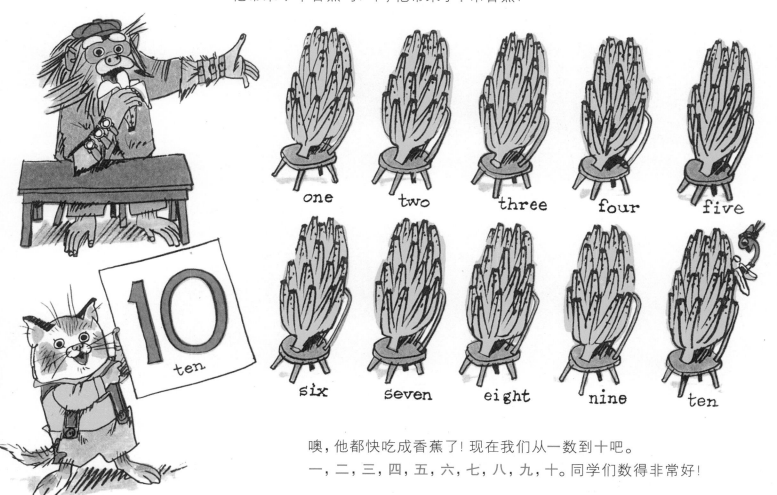

10 ten

one two three four five

six seven eight nine ten

噢，他都快吃成香蕉了！现在我们从一数到十吧。
一，二，三，四，五，六，七，八，九，十。同学们数得非常好！

时　间

星期六，学校是不上课的。
但是，还有很多事等着小屁孩儿去做。
他的好朋友爬爬会来他家玩，晚上还会住在这里。

早上**7点**闹钟一响，小屁孩儿就从床上跳起来了。

8点的时候他在吃早餐。这次猫爸爸又把桌布拽走了。

上午**9点**，他开始收拾整理自己的房间。

10点，他和妈妈一起去商店买了很多好吃的东西。

11点，他和爬爬一起玩泥巴，还摔了好多跤。

12点，小屁孩儿和爬爬吃午餐。

下午1点，他们一起睡了个午觉。

下午2点，他们开车外出的时候，不小心撞上了清洁工乔治。他正要去学校上班，看来他又迟到了。

下午3点钟，他们只好走路回家。

下午4点，他们在家里看电视。

下午5点，猫爸爸下班回来了。

下午6点，晚餐的时候，猫妈妈送给大家一个惊喜：
小客人爬爬成了第一个吃到晚餐的人。

晚上7点钟，猫爸爸给小屁孩儿和爬爬洗澡。
"那块肥皂去哪儿了？"猫爸爸问。

晚上8点，猫爸爸在床上给他们
讲了一个晚安故事。

晚上9点，看样子他们已经睡着了。
好梦！小屁孩儿。好梦！爬爬。

哈尼小姐的小帮手

每个人都想为哈尼小姐做些事，让她的生活变得更开心。

哈尼小姐恐怕永远都不会忘记，爬爬那天是怎么帮她洗苹果的……

同一天，罗格打开教室的窗户，风把桌子上的纸吹了一地。

亚瑟赶紧把门关上，这样纸就不会被吹出去了。

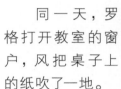

哈尼小姐还记得，小屁孩儿帮忙削铅笔……
结果削得太短了。

帕特丝捡起地板上的纸，把它们放进垃圾桶里。

埃迪擦黑板。　　　　彼得用一块海绵把黑板洗干净。　　　　波比拍干净黑板擦。

……哈尼小姐突然发现
有人在给她的花浇水!

"**快停下!**"她大喊。

噢，原来是另一个热心人——清洁工乔治！他正从外面清洗教室的窗户。

"我把你们弄湿了吗？"乔治在窗户外面问。
"你忘记让人先关上窗户了！"
哎呀，乔治！你真该小心点！

计 量

"今天我们学习怎么量东西。"哈尼小姐说。
我用一把尺子来量身高。我比瞌睡虫高,他比我矮。

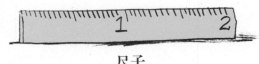

尺子
ruler

我用一台秤来称体重。
我比爬爬重。
爬爬比我轻。

秤
scales

我的胳膊比老鼠的长。

老鼠的胳膊比我的短。

钟表可以用来计时。
太阳没升起来的时候我已经醒了。

小屁孩儿在太阳出来之后才睡醒。
我醒着的时间比小屁孩儿长。
他醒着的时间比我短。

早餐的时候我喝了一杯热可可。
小屁孩儿喝了一杯冷牛奶。

热 hot
温热 warm
凉 cool
冷 cold

热 hot
温热 warm
凉 cool
冷 cold

炉子
stove

冰箱
refrigerator

我们用炉子加热食物。
我们用冰箱保鲜食品。

日历也可以计算时间。
它能显示一年有多少月份，一个月里有多少天数。

我过的生日比露丝多；
我的年龄比她大；
露丝年龄比我小。

我生日蛋糕上的蜡烛比露丝多，
她的蜡烛比我的少；
我吹蜡烛所花的时间比露丝长，
露丝吹灭蜡烛的时间比我短。

形状

"每样东西都有自己的形状。"哈尼小姐说。

"我会给你们看不同的形状。首先,看我的身材。布鲁诺先生说我身材很好。你们说我比爬爬胖还是瘦呢?对!我比爬爬要胖一点。"

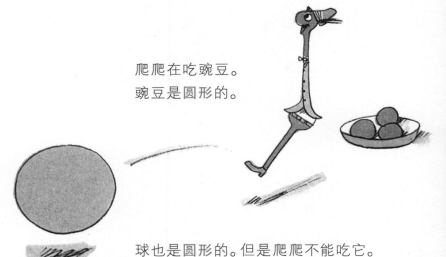

爬爬在吃豌豆。
豌豆是圆形的。

球也是圆形的。但是爬爬不能吃它。

鸡蛋是椭圆形的。

月亮有时候是月牙形的。

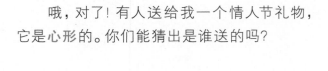

盒子是方形的。

送给哈尼小姐
——布鲁诺

哦,对了!有人送给我一个情人节礼物,
它是心形的。你们能猜出是谁送的吗?

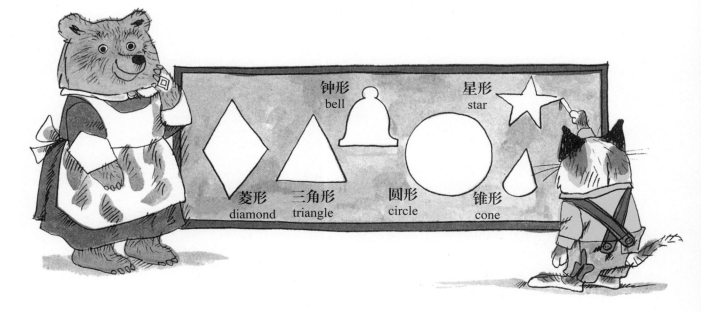

我让小屁孩儿画了
一些形状给大家看。

钟形
bell

星形
star

菱形
diamond

三角形
triangle

圆形
circle

锥形
cone

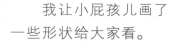

直的
straight

曲折的
curved

弯弯曲曲的
crooked

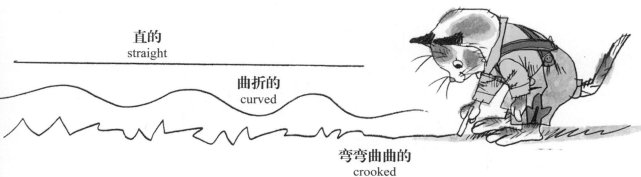

他又为大家画了一些线。
谢谢你，小屁孩儿。

有些东西是可以改变形状的。
一支大蜡烛变小了。

一颗小小的种子变成又高又大的向日葵。

高大
great

大的
large

小的
small

幼小
tiny

真神奇！

烟
smoke

火
fire

一根正在燃烧的木头变成了烟和灰。
你还能想到其他能够改变形状的东西吗？
雪人吗？它在什么时候变形状呢？

木头
wood

41

画画

画画是件非常有趣的事情。在哈尼小姐的美术课上，我们个个都是艺术家。艺术家有的用蜡笔，有的用铅笔，有的用水彩，有的用油画颜料。为了不把衣服弄脏，大家都穿上了工作服。

小屁孩儿帮老师把画画用的材料分发给大家。

这些是他分发给大家的工具：

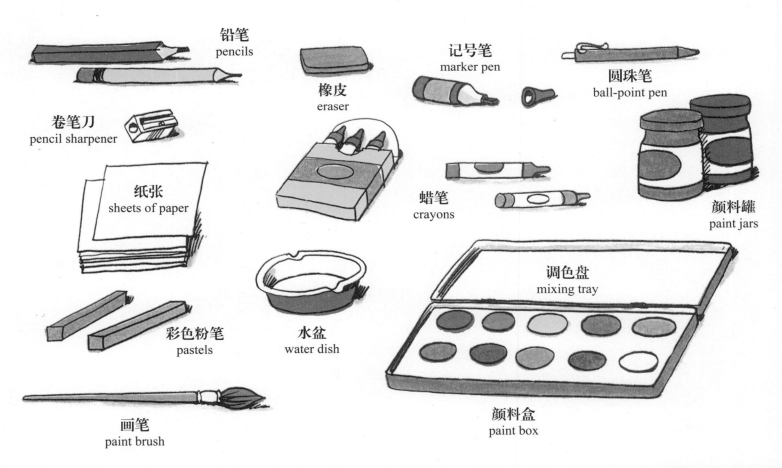

铅笔
pencils

卷笔刀
pencil sharpener

纸张
sheets of paper

彩色粉笔
pastels

画笔
paint brush

橡皮
eraser

蜡笔
crayons

水盆
water dish

记号笔
marker pen

圆珠笔
ball-point pen

颜料罐
paint jars

调色盘
mixing tray

颜料盒
paint box

现在，大家准备好了。
米尔德在画架上夹上一叠纸，
用铅笔画了一只小虫。

画架
easel

伊丽莎白用彩色粉笔画了一张画。
她把画钉在了墙上。

亚瑟在纸上画了一个大红苹果。

画
picture

颜料
paint

水
water

波比在地板上留下一些红色脚印。

噢！真是一群忙碌的艺术家！

罗格跑到洗手池前面，
想把不干净的颜料水盆洗干
净。水开得太大啦，溅出来
的水把旁边的纸都弄脏了。

洗手池
sink

颜色

小屁孩儿要给大家看一些他画的画。

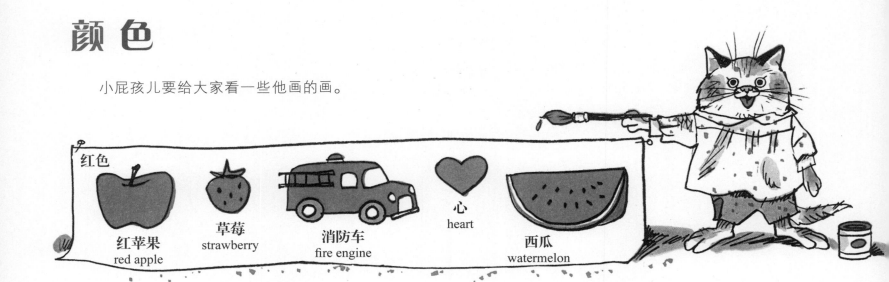

红色

红苹果
red apple

草莓
strawberry

消防车
fire engine

心
heart

西瓜
watermelon

这些是他用红颜色画的……

……这是用橙色画的。

橙色

南瓜 pumpkin

橘子
orange

胡萝卜 carrot

公共汽车
bus

金鱼
goldfish

黄色就像明亮的阳光。

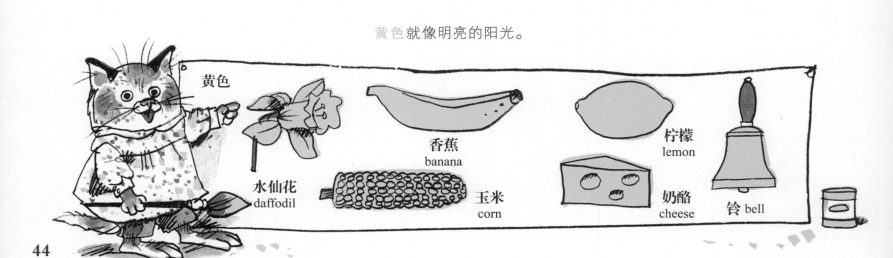

黄色

水仙花
daffodil

香蕉
banana

玉米
corn

柠檬
lemon

奶酪
cheese

铃 bell

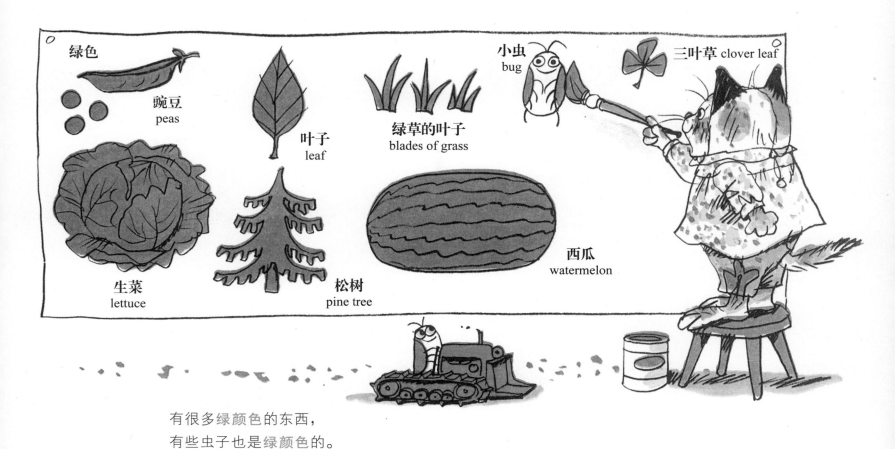

绿色

豌豆
peas

叶子
leaf

绿草的叶子
blades of grass

小虫
bug

三叶草 clover leaf

生菜
lettuce

松树
pine tree

西瓜
watermelon

有很多绿颜色的东西，
有些虫子也是绿颜色的。

小屁孩儿画了蓝色的天空。

蓝色

云
cloud

天空
sky

蓝莓
blueberries

风铃草
bluebells

帆船
sailboat

小屁孩儿！要知道云朵很多时候是灰色的！

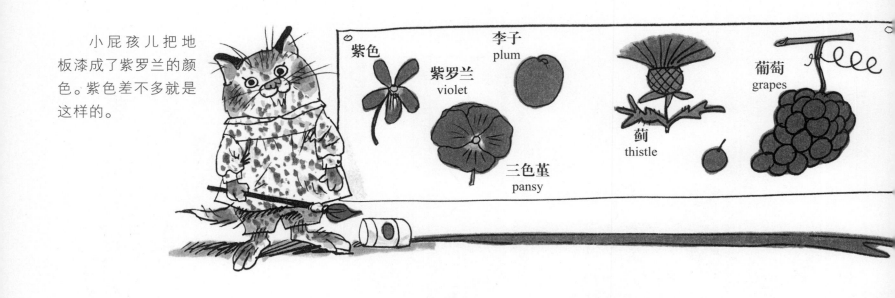

小屁孩儿把地板漆成了紫罗兰的颜色。紫色差不多就是这样的。

紫色
紫罗兰
violet

李子
plum

三色堇
pansy

蓟
thistle

葡萄
grapes

颜色可以是浅色或者深色。土豆是浅棕色的。
复活节的巧克力小兔是**深棕色**的。

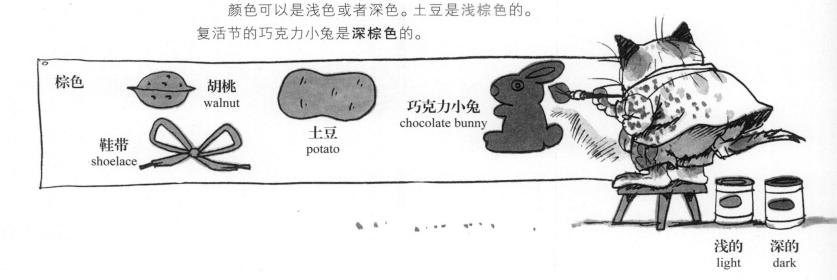

棕色

胡桃
walnut

鞋带
shoelace

土豆
potato

巧克力小兔
chocolate bunny

浅的
light

深的
dark

他还画了一些黑色的……

……和白色的东西。

黑色

门铃
doorbell

水果糖
gumdrop

轮胎
tire

帽子
hat

白色

蛋
egg

雪人
snowman

除了画这些画，小屁孩儿把自己也弄得全身都是颜料。
小屁孩儿，去把颜料洗干净吧，再换上一件干净的工作服。谢谢你！

颜色的混合

小屁孩儿要给大家演示，怎么把两种颜色混合在一起变成第三种颜色！开始吧，小屁孩儿！

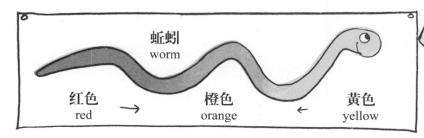

蚯蚓 worm

红色 red → 橙色 orange ← 黄色 yellow

红色和黄色混合变成橙色。

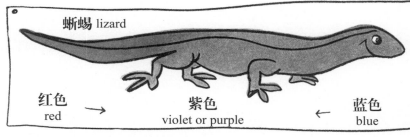

青蛙 frog

黄色 yellow → 绿色 green ← 蓝色 blue

黄色加蓝色变成绿色。

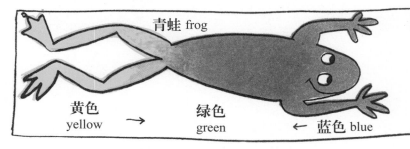

蜥蜴 lizard

红色 red → 紫色 violet or purple ← 蓝色 blue

红色加蓝色变成紫色。

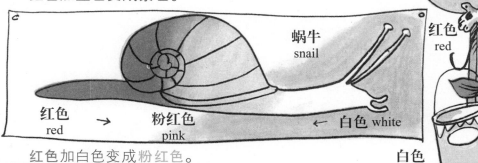

蜗牛 snail

红色 red → 粉红色 pink ← 白色 white

红色加白色变成粉红色。

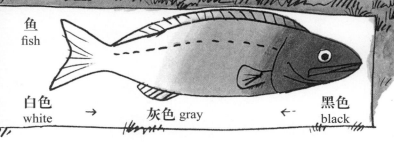

鱼 fish

白色 white → 灰色 gray ← 黑色 black

白色加黑色变成灰色。

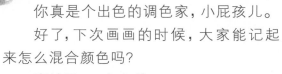

黄色 yellow

红色 red

蓝色 blue

黄色 yellow

蓝色 blue

红色 red

白色 white

红色 red

白色 white

黑色 black

你真是个出色的调色家，小屁孩儿。

好了，下次画画的时候，大家能记起来怎么混合颜色吗？

当然了，一定会的！

47

"讲故事"时间

　　学校里会有很多好玩的事儿，其中一样就是"讲故事"时间。讲故事的人会带一件东西给大家看，还要说出关于它的故事。这次小屁孩儿要给大家讲讲，他去年暑假参观威利叔叔农场时的有趣经历。大家一起来听听吧。

　　接下来，小屁孩儿开始为大家讲故事。
　　"暑假到了，我想去叔叔家的农场玩，"他开始说，"爸爸和妈妈带我去机场，让我坐上一架飞机。"

　　"飞机降落在叔叔家农场附近的一个机场。叔叔在机场的跑道上等我，飞机差点儿就停在他的头顶上了！"

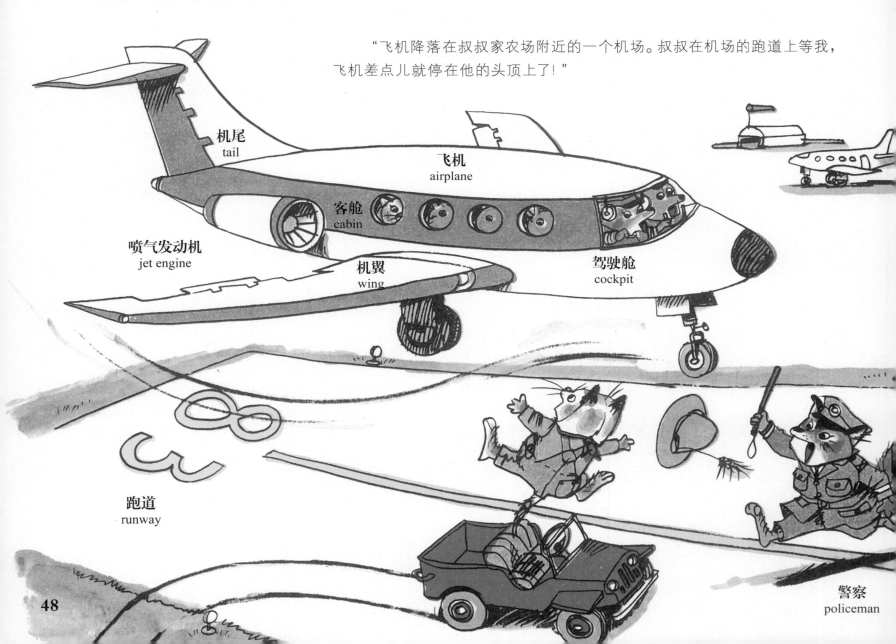

机尾
tail

飞机
airplane

客舱
cabin

喷气发动机
jet engine

机翼
wing

驾驶舱
cockpit

跑道
runway

警察
policeman

"我们来到了威利叔叔的农场，"小屁孩儿继续讲，"到家的时候，我的米莉婶婶正在厨房做饭。她可是个好厨师。"

喔喔喔——！

公鸡
rooster

鸡舍
chicken house

母鸡
hen

"叔叔家养了许多公鸡和母鸡。母鸡在下蛋前一定要吃饱，于是，我负责给它们喂谷子和玉米，威利叔叔负责拣蛋。

公鸡是不下蛋的。

它们会打鸣，喔喔喔——！"

"他们家还有会产奶的母牛。我给它们喂干草，威利叔叔给它们挤奶。我们把装满牛奶的铁罐放上卡车，将它们卖到奶品加工厂去。"

"在奶品加工厂里，人们能用牛奶做出很多东西。
牛奶可以装进纸盒卖给商店，供人们饮用；可以做成奶油；可以做成奶酪；
最棒的是还可以做成冰激凌！那里的工作人员就给了我一个蛋卷冰激凌。"

犁
plow

拖拉机
tractor

"从奶品加工厂回来,我们就
到田里去犁地,为播种做好准备。
威利叔叔还教我驾驶拖拉机!"

"威利叔叔在地里撒下各种各样的种子。
我种了一颗南瓜,它要过了整个夏天,才能长
大。我希望它能长成一个大南瓜。"

南瓜

"播好种子后,威利叔叔让我到车库取出四轮货车。他想把蔬菜拉到市场上卖掉。"

"小货车里装满了各种蔬菜，它们都是威利叔叔辛辛苦苦种的。威利叔叔坐在蔬菜上面，免得路上掉下去。就这样，我们去到农贸市场。"

菠菜
spinach

卷心菜
cabbage

土豆
potatoes

花椰菜
cauliflower

芜菁
turnip

芦笋
asparagus

豆角
beans

"刚到市场，我一不小心把车撞上了消防水龙头……"小屁孩儿继续说，"这下可好，我把蔬菜直接送到了威利叔叔的菜摊上。"

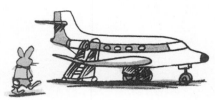

"唉，我的暑假就要结束了，"小屁孩儿说，"我被送回了家。威利叔叔答应我，等我种的那棵南瓜成熟后，就摘下来带给我。"

"后来，他真的做到了！今天，我把大南瓜带来了，看，我把它变成什么了？"

天啊，小屁孩儿！这肯定是世界上最大的南瓜灯了！
你不仅仅是个种南瓜的高手，还很会做南瓜灯！同学们，你们说对吗？小心别被它吓倒哦！

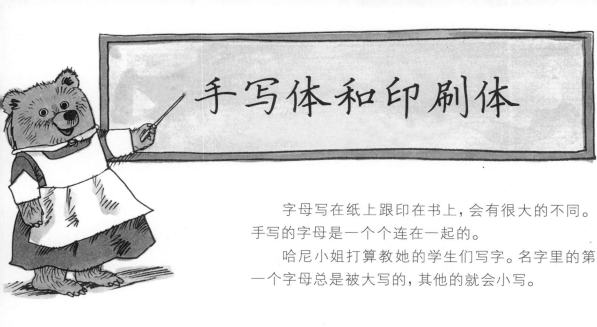

手写体和印刷体

字母写在纸上跟印在书上，会有很大的不同。
手写的字母是一个个连在一起的。

哈尼小姐打算教她的学生们写字。名字里的第一个字母总是被大写的，其他的就会小写。

这是阿尔伯特的名字被印出来的样子：

Albert

这是手写的样子：

Albert

A a
A a

Albert has an apple in his hand
Albert has an apple in his hand

阿尔伯特手里拿着一个苹果。

B b
B b

Bananas Gorilla is being silly
Bananas Gorilla is being silly

大猩猩布纳那真可笑。

C c
C c

Charlie Anteater is chewing gum
Charlie Anteater is chewing gum

查理正在嚼口香糖。

孩子们，你们的字写得非常漂亮！

哈尼小姐对小屁孩儿说："能请你把字母表里的字母都写一遍吗？
我想让其他同学参考一下，说不定他们也就会写自己的名字了。"

你的铅笔该削了！

A a   B b   C c   D d

E e   F f   G g   H h

I i   J j   K k   L l

Mm Nn Oo Pp

Mm Nn Oo Pp

Qq Rr Ss Tt

Qq Rr Ss Tt

Uu Vv Ww Xx

Uu Vv Ww Xx

Yy Zz

Yy Zz

好了，现在请每个人都准备一支铅笔和一张纸，开始试着写自己的名字吧。

到医务室检查身体

所有的孩子都应该定期看医生。这天，熊大夫到学校来给同学们检查身体。

秤
scales

量身高
height measure

熊医生让同学们张开嘴，发"啊——"的音，他要检查同学们的喉咙里是否有问题。他还把听诊器贴在同学们的胸膛上，听里面"咚咚"的心跳声。

最后，熊医生说，同学们都很健康。

绷带
bandages

剪刀 scissors

温度计 thermometer

手电筒 flashlight

胶带
adhesive tape

压舌板
tongue stick

医生只是隔一段时间才到学校来。但是，艾伦护士每天都在学校里。她负责照看每一个生病的孩子。

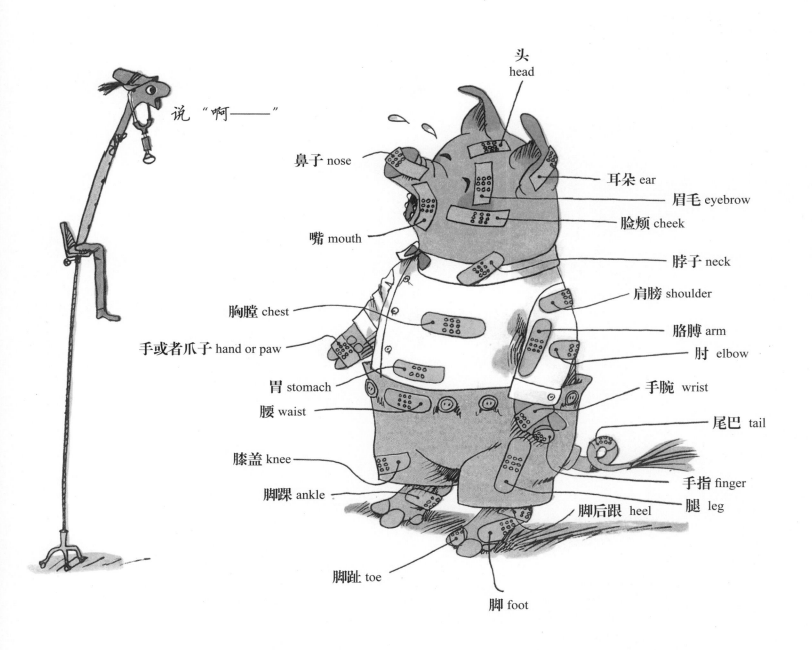

说"啊——"

鼻子 nose

嘴 mouth

胸膛 chest

手或者爪子 hand or paw

胃 stomach

腰 waist

膝盖 knee

脚踝 ankle

脚趾 toe

头 head

耳朵 ear

眉毛 eyebrow

脸颊 cheek

脖子 neck

肩膀 shoulder

胳膊 arm

肘 elbow

手腕 wrist

尾巴 tail

手指 finger

腿 leg

脚后跟 heel

脚 foot

亚瑟在校园里摔伤了。

"觉得哪儿疼吗？"艾伦护士问他。

"到处都疼！"亚瑟呲牙咧嘴地说。

于是，艾伦护士给他全身都贴上了创可贴。

59

勤杂工乔治和一年的十二个月

乔治是我们学校的勤杂工，他的主要工作就是照看好学校。
如果东西坏了，他会把它们修好。
一年十二个月里，他都在学校里工作着。

一月是一年中的第一个月，到处都飘着雪花。
雪下得很大的时候，乔治用铁铲把积雪铲掉。

二月，乔治会把沙子铺在结冰的人行道上，
这样就不会有人滑倒了。

发生什么事了？
乔治，你摔倒了吗？

冰
Ice

三月，户外总是刮着很大的风。
乔治把垃圾桶里的垃圾，都倒进外面的大炉子里烧掉。

61

四月，复活节小兔来了。

四月，天经常会下雨，植物都生长起来了。乔治
要保证花园里的植物，每天都能获得充足的水份。

五月，乔治用除草机修剪学校的草坪。
有一次，除草机自己跑开了，还冲进了一家超市。
你确定除草机除了吃草就不想吃别的东西了吗？

六月，哈尼小姐让乔治修理一张桌子，桌子的一条腿有点晃。

他真的把桌子修好了吗？
乔治，你还是在我们放暑假的时候把它修理好吧。
秋天的时候再见。
好好照顾我们的校园，乔治！

七月的校园空荡荡的，大家放暑假了。
乔治把所有的东西都重新漆了一遍。

八月，太阳又大又毒。乔治修理着体育馆的
淋浴器，想象自己正在海边度假。

九月，孩子们又回到学校了。乔治为孩子们新修了一条水泥人行道。水泥没干
的时候，是又软又湿的，等干透了才会变得坚硬。乔治，你该早点修这条路呀！

辛苦了，乔治！

水泥 cement

我喜欢树叶燃烧时的味道。

十月，树上的叶子纷纷掉下来。
乔治用耙子把干树叶都收集起来，放进小推车里，再运到空地上去烧掉。

十一月，天气开始冷起来，也经常刮风。
冬天就要来了。乔治爬上树，锯掉枯死的树枝，下大雪的时候，
这些枯枝才不会被大雪压断，砸坏其他东西。
此刻，校长跑过来看他的新车出了什么事情。

十二月，人们在这个月里会庆祝很多节日，如圣诞节。乔治在校园里放上圣诞树，还挂上了各种各样的装饰。现在它看上去真漂亮！

只要在树顶再放上一颗星星，乔治的工作就完成了。
你能够得着吗？乔治。

学校图书馆

今天，哈尼小姐要带孩子们去什么地方？
她要带他们去学校的图书馆！
她想给孩子们读一些存放在图书馆里的故事书。

图书馆的书架上，摆满了各种各样的书。
哈尼小姐让她的学生们围坐在她的身边，然后，她开始给大家讲故事。

她给大家讲了个神奇的童话：一名勇敢的骑士，
为了营救一位美丽的公主，与恶龙展开了战斗……

她还给大家讲了另外一个故事：在很远又很冷的
北极，一个小男孩住在冰块做成的圆顶小房子里。

"看看这张画，那个小男孩在冰水里划着
他的小皮筏。"哈尼小姐对孩子们说。

讲完故事后，哈尼小姐对孩子们说："在图书馆卡片上写下自己名字的同学，都可以带一本书回家看。"

哈尼小姐用橡皮章，在小屁孩儿选的书上盖上日期，这样，小屁孩儿就知道还书的时间了。孩子们排队等着借书回家。

小屁孩儿坐上桔黄色校车回家了。

猫妈妈在车站等着他。

小屁孩儿给妈妈看了他的图书馆借书卡。
妈妈非常高兴地发现，小屁孩儿会写自己的名字了！
"小屁孩儿，你真的在学校里学会了很多东西！"猫妈妈说。
小屁孩儿飞快地跑回家，开始看书了。

69

今天，哈尼小姐带同学们在郊外野餐。每年他们至少会有一次这样的活动。

这次还邀请了布鲁诺先生，他会做香喷喷的热狗。

哈尼小姐为孩子们倒柠檬汁，布纳那在弹他的香蕉吉他。

小屁孩儿挖着桶里的冰激凌。乔治带来了他的风筝，他让风筝飞了起来。

爬爬在布口袋赛跑中得了第一名。

大家玩得多开心啊！

终点线

图书在版编目（CIP）数据

上学一二三／（美）斯凯瑞编绘；康宁译．
一贵阳：贵州人民出版社，2009.7
（蒲公英图画书馆．金色童书系列）
ISBN 978-7-221-08671-6

Ⅰ．上… Ⅱ．①斯…②康… Ⅲ．图画故事—美国
一现代 Ⅳ．I712.85

中国版本图书馆 CIP 数据核字（2009）第 160881 号

上学一二三　　[美]理查德·斯凯瑞 著　康宁 译

出 版 人	曹维琼
策 　 划	远流经典文化
执行策划	颜小鹂　李奇峰
责任编辑	苏 桦　静 博
设计制作	RINKONG 平面设计工作室
	贵州出版集团公司
出 　 版	贵 州 人 民 出 版 社
地 　 址	贵阳市中华北路 289 号
电 　 话	010-85805785（编辑部）
	0851-6828477（发行部）
网 　 址	www.poogoyo.com
印 　 制	北京国彩印刷有限公司（010-69599001）
版 　 次	2009 年 10 月第一版
印 　 次	2010 年 5 月第二次印刷
成品尺寸	250mm×285mm　1/12
印 　 张	6
书 　 号	ISBN 978-7-221-08671-6
定 　 价	21.80 元